Kuessipan
À toi

Kuessipan
À toi

MÉMOIRE D'ENCRIER

Collection Legba

Dans la mythologie vaudou,
Legba symbolise le passage du visible
à l'invisible, de l'humain aux mystères.
Legba est le dieu des écrivains.

à ma mère qui a déchiffré
à Lucille pour son amitié
à Marcorel, ma poésie

NOMADE

J'ai inventé des vies. L'homme au tambour ne m'a jamais parlé de lui. J'ai tissé d'après ses mains usées, d'après son dos courbé. Il marmonnait une langue vieille, éloignée. J'ai prétendu tout connaître de lui. L'homme que j'ai inventé, je l'aimais. Et ces autres vies, je les ai embellies. Je voulais voir la beauté, je voulais la faire. Dénaturer les choses – je ne veux pas nommer ces choses – pour n'en voir que le tison qui brûle encore dans le cœur des premiers habitants. La fierté est un symbole, la douleur est le prix que je ne veux pas payer. Et pourtant, j'ai inventé. J'ai créé un monde faux. Une réserve reconstruite où les enfants jouent dehors, où les mères font des enfants pour les aimer, où on fait survivre la langue. J'aurais aimé que les choses soient plus faciles à dire, à conter, à mettre en page, sans rien espérer, juste être comprise. Mais qui veut lire des mots comme drogue, inceste, alcool, solitude, suicide, chèque en bois, viol ? J'ai mal et je n'ai encore rien dit. Je n'ai parlé de personne. Je n'ose pas.

Le brouillard. En voiture, le manque de visibilité oblige les conducteurs à ralentir. Parfois les clignotants des voitures sont en fonction. C'est pour s'aider, pour mieux s'orienter. La chaussée est humide. On n'ose pas de dépassement. La nuit, on voit mieux en gardant juste les basses allumées. Ça ne dure pas. Quelques minutes, une heure.

Il dit : Le brouillard du matin indique une journée ensoleillée, celui du soir, un lendemain pluvieux.

Ils ont accusé le brouillard. La brume habituelle des soirs de mai. Le vent mouillé de la mer qui fait pousser les nuages gris sur la route qui relie Uashat et Mani-utenam. Ça devait être un brouillard épais, opaque, infranchissable. Ça devait être une nuit noire, obscure, sans lune. Les voitures devaient être absentes. Il devait être seul à garder la route, à s'orienter, à enfoncer l'air trempé. Les arbres, les poteaux devaient se cacher derrière cette épaisse grisaille. La peur, le manque d'expérience, la vitesse, la témérité, l'inconscience, comme voie de sortie.

J'ai toujours eu peur de conduire quand il fait brouillard.

J'aimerais que vous la connaissiez, la fille au ventre rond. Celle qui élèvera seule ses enfants. Qui criera après son copain qui l'aura trompée. Qui pleurera seule dans son salon, qui changera des couches toute sa vie. Qui cherchera à travailler à l'âge de trente ans, qui finira son secondaire à trente-cinq, qui commencera à vivre trop tard, qui mourra trop tôt, complètement épuisée et insatisfaite.

Bien sûr que j'ai menti, que j'ai mis un voile blanc sur ce qui est sale.

Un accident de voiture. L'idée de perdre mon enfant. Les insultes face aux Innus. La mort. Les pères absents. Les coupes blanches dans le Nord. La misère de ma cousine et de ses deux enfants, mon incapacité à lui venir en aide. Les enfants maltraités. Les critiques de ma mère. Gabriel lorsqu'il ne rappelle pas. Les films trop beaux pour être vrais. L'oppression. L'injustice. La cruauté. La solitude. Les chansons d'amour. Les erreurs impardonnables. Les bébés qui ne naissent jamais.

Ou : la peau grise d'un homme trop jeune pour la boîte en bois vernis aux tracés or, aux poignées or. Ses yeux dorment et sa bouche aux lèvres fines a l'inexpressivité d'un visage éteint. Les fleurs posées sur la boîte entourent la prière transcrite sur un morceau de bois – je ne suis jamais loin...

Je déteste le visage des morts. Leurs traits sereins. Leurs yeux fermés. L'absurdité d'une peau froide maquillée de couleurs tristes, novembre lorsqu'il fait gris. Je hais les rides qu'ils n'ont plus, l'âme disparue, emportant avec elle toute l'existence d'un souffle. Je déteste les observer. La coutume me dit de les veiller. Je meurs, car ils sont laids, ces hommes au regard éteint.

Pourquoi ses yeux ne refléteront-ils jamais mon visage ? J'aimerais que sa bouche, éternellement muette, me dise que je lui ressemble.

Petites, on jouait ensemble durant les vacances d'été. Tu étais plus mince, plus blanche, plus timide que moi. Habillée d'un tee-shirt rouge trop grand pour toi, moi en chemise blanche par-dessus une camisole jaune. C'était la saison des confidences, de l'insouciance, des puériles séductions. On était trop bêtes pour croire en l'amour. Souvent, tu restais dormir chez moi. Comme une sœur.

Les étés se sont accumulés. Tu es arrivée en larmes un soir. Je me souviens. Tu as expliqué sans qu'on comprenne. J'ai pleuré sans savoir. On s'est endormi l'une à côté de l'autre, d'un sommeil sans rêves qui fait gonfler les yeux. Ta mère avait recommencé à boire.

Le lendemain, ils t'ont placée, chez une de nos tantes. Mesure d'urgence. Tu as ri cette journée-là. Rien ne paraissait de l'extérieur. J'ai prié Jésus dans ma tête, très vite, sans que tu t'en aperçoives.

Je sais que le monde est injuste.

Pourquoi. La nuit, elle dort d'un sommeil lourd qui lui enfouit le front jusque dans les dunes de son oreiller. Son visage tremble dans la noirceur de sa chambre close. Elle se raidit dès que quelqu'un hausse la voix. La peur la pourchasse dans ses cauchemars de mère. Elle pleure et personne ne la console. Elle oublie. Elle rit.

Je voudrais lui dire que je sais. Pourquoi je me tais. Le silence. Je voudrais écrire le silence.

Un enfant le suit, le regarde attentivement. C'est à cause de sa beauté et des bagues d'argent qui ornent ses doigts, c'est ce qu'il se dit. Il fait des sourires à l'enfant, lui demande qui est son père. Il répond : Je n'ai pas de père.

Il regrette. Il aurait dû lui demander qui est sa mère.

Tout le monde sait qu'il teint ses cheveux gris. Les bagues en toc qu'il se met aux doigts lorsqu'il enfile sa veste de cuir à franges lui servent de prétexte pour rouler lentement dans la réserve. Il a le teint foncé de ceux qui ont abusé de l'alcool, de ceux qui ont travaillé sous le soleil, de ceux qui ont vieilli. Les joues, le front, les mains ridés. Il dit : J'ai tout fait, moi, dans la vie. La tirade du couturier, du débroussailleur, du pêcheur, du chasseur, du pompiste, du monteur de ligne, du bûcheron, du charpentier. Il ajoute sans-abri. Il a un rire brisé par la fumée. Lorsqu'il discute ainsi, il parle en français, cette langue qui lui glisse dans la gorge, qui fait mentir sa fausse assurance.

Il prend pension chez une de ses sœurs. Occupe la plus grande chambre au sous-sol. Pour toutes commodités, il possède une boîte pleine de DVD, une étagère où s'entassent des bouteilles de parfum, un miroir en long, un peignoir à carreaux, des bottes de cow-boy remisées, un lit parfaitement centré sur le mur et toujours fait.

Ce matin, il part sans son attirail de vieil adolescent. Il est garde forestier, employé par le Conseil de bande. Dans la cabane en bois, sur le bord de la rivière Moisie, il tient le compte des prises, contrôle les pêcheurs, ceux qui ne sont pas Innus. Trois mois d'ouvrage, pour neuf de chômage. Au bout de quelques jours, il revient chez sa sœur pour prendre une douche. Et il repart, le corps et l'esprit enfin homme.

Lettres à mon bébé. À ma mère. À ma grande sœur. À Dieu. À mon père. À Lucille. À Jean-Yves. À l'agente de l'éducation du Conseil de bande de Uashat et de Mani-utenam. Aux parents de mon ex. À mon ex. À moi-même. À ma petite sœur. Au premier ministre du Québec. À mon frère.

À Gabriel. À mon grand cousin Luc. À Nicolas D. À William, mais pas le prince. À ce monde cruel. À mon peuple. Au père de M. Aux gens tristes. Aux enfants du futur.

Les routes ne se ressemblent pas. Celle qui mène vers le nord. Celle qui nous ramène à contresens. Les cahoteuses pleines de poussière, pleines de terre, avec des trous et des courbes, sur lesquelles on avance tranquillement. Les asphaltées avec des lignes qui nous amènent à l'endroit même où on veut aller, sans offrir de détour, avec les ralentissements des heures de pointe. Celles qui sont isolées, celles qui rêvent d'être empruntées, celles qui se laissent aller, trop peu fréquentées.

La route qu'il suivait, dès le début de l'automne jusqu'à la première neige, l'amenait dans sa cabane, sans détour, sinon celui que crée un porc-épic rencontré par hasard, qui force à arrêter, à le chasser. Trois heures de chaos pour l'intimité d'un lac cent fois trop beau pour le spectacle inconnu. C'était là qu'il avait sa terre. Trop vieux pour chasser, mais pas encore pour la délaisser. Il l'habitait, comme on habite un coin de salon, en silence, mais toujours avec le contentement d'être chez soi. Il était chez lui. Près de la nature, près des infinis que le ciel offre un soir de pleine lune, intime avec la force créatrice. Même vieilli, son corps assez fort pour affronter et pour survivre. Il était là, l'écorce qui se raidit et puis se froisse. C'était lui qui avait construit la première cabane, qui en avait fait jaillir beaucoup d'autres. Il était là, exigeant de la terre ce qu'elle lui avait toujours donné. Lui, maître de ses racines, humble devant la beauté d'un soir d'octobre sans nuages. Un crépuscule d'or. Reconnaissant de voir ses petits-enfants jouer avec des branches et du sable. Il était la promesse de ce que nous ne devions jamais quitter, une route poussiéreuse et cahoteuse, surtout l'automne, surtout pour nous.

Nomade : j'aime concevoir cette manière de vivre comme naturelle.

UASHAT

Il dit : Un chant triste, sorte de cri du cœur. Comparable au blues. La langue innue presque chantée, aux intonations lentes, celles qu'on fait durer par des respires. Le manque de voyelles rend la langue impénétrable, comme un rappel à la nature, la dureté, l'écorce et les panaches.

Neka, ma mère. *Mashkuss*, petit ours. *Nikuss*, mon fils. *Mikun*, plume. *Anushkan*, framboise. *Auetiss*, bébé castor. *Ishkuess*, fille. *Nitanish*, ma fille. *Tshiuetin*, vent du nord. *Mishtapeu*, le grand homme. *Menutan*, averse. *Shukapesh*, l'homme qui est robuste. *Kanataushiht*, les chasseurs. *Pishu*, lynx. *Kakuss*, petit du porc-épic. *Kupaniesh*, un homme qui est employé. *Tshishteshinu*, notre grand frère. *Tshukuminu*, notre grand-mère. *Nuta*, mon père.

Les veillées sont tardives, lorsqu'elles durent après le soleil. Le grincement de la radio qui fait sortir les hommes. Le skidoo éclaire juste ce qu'il faut de neige pour ne pas s'enfoncer. Dans le silence que font les ours en hiver, il gronde. Cette nuit, ce n'est ni la ville ni les avions qui colorent le ciel d'un doux mauve qui crie au loup. Les yeux de la petite fille disent merci d'avoir vu.

La maison verte. Les sirènes rouges et bleues se cognent à la vitre de la porte. La vitre, pleine de buée à cause de la chaleur, celle de la maison ; à cause de la fraîcheur, celle du dehors. La meute crie au loup, à en crever. Ils se tiennent dans l'affront comme le font tous les autres derrière eux. Ils crient aux sirènes de s'éteindre. Ils ne craignent rien.

Les filles seules, elles, ont peur la nuit. Les portes barrées, les fenêtres fermées même en juin. À cause des clôtures qui n'empêchent personne de passer. Des hurlements qui proviennent de l'extérieur.

Les sirènes bleues et rouges qui roulent sans arrêt n'effraient que les jeunes filles, silencieuses derrière leurs murs, qui observent sans se faire voir.

À peine quelques mètres. Les sirènes ne fonctionnent pas. Les sirènes ne font peur à personne.

La nuit, c'est l'heure à laquelle on se déshabille.

Le haut et le bas du corps se laissent dénuder. La rougeur des joues. La tiédeur des larmes. Les rêves que l'on donne en gardant les lèvres fermées. Ne pas avoir peur. Le sable sur lequel on se couche. La saleté. Les autres qui sont passés. L'ivresse. Les yeux rougis. Les oublis. On ne voit dans la nuit que ce que les mains peuvent toucher.

Une ombre. Le reflet d'un humain. Toi. Maigre, les joues creuses, le regard fuyant qui ne veut pas fixer, autant qu'il ne veut pas l'être à son tour. Les épaules fatiguées, faibles. Le teint pâle. Deux dents tombées. Un sourire qui ne rit pas, timide, inquiet de ce que les autres diront. Tes yeux, leur forme, le foncé de leur couleur, le paradoxe de la beauté et de la souffrance.

Dans les grandes villes, il est plus facile de n'être personne. Tous ces gens que tu croises ne savent rien de toi. Te regardent distraitement. Pensent à autre chose. Quelques mois à peine que tu as quitté ta réserve, le village qui te connaît, ta famille, tes amis, pour t'installer en inconnu dans le néant de cette ville. Ton appartement t'appartient, ça et les meubles usagés que tu as achetés pour presque rien. Une table en bois ronde dans le coin de la cuisine. Deux chaises vides. Un divan en feutre bleu. Un frigidaire qui gronde et qui congèle les aliments au lieu de les rafraîchir. Dans la chambre, il y a une fenêtre qui donne sur la devanture de l'immeuble voisin. La nuit, tu entends le bruit des autos qui passent sur l'autoroute. C'est différent de là d'où tu viens.

Là-bas, en hiver, le vent est sec et glacé. La mer, le fleuve réclament l'océan. C'est dans une baie que ta maison a été bâtie. Une baie de sable, recouverte de neige six mois par année. Il y a une forêt, quelques sapins et des épinettes. Une plage et des îles. Il y a beaucoup d'enfants, ça explique les rires et les pleurs. Les maisons ont une forme rectangulaire, du sable sur leur entrée, des clôtures en bois et une porte que l'on ne barre pratiquement jamais, sinon la nuit, sinon durant les absences. Les gens ne frappent pas à la porte pour entrer, accoutumés à la chaleur d'un foyer, à la souplesse des toiles sur une tente. Seul un inconnu frapperait. Mais ils sont rares. Ils ne s'aventurent pas sur une réserve.

Un été, tu es parti avec un groupe lors d'un projet que le Conseil de bande avait monté pour les jeunes dans le but de contrer la violence. Vous avez érigé vos tentes sur le bord de la plage sur l'île, la plus grande des sept que la baie abrite. La forêt recouvrait le morceau de terre que l'eau salée délimitait. Isolé, face à l'infini, le monde avait tout son sens. Tu as ressenti l'instinct des vieux chasseurs, prêts à combattre le pays en temps de misère. Tu aurais voulu demeurer à jamais sur cette île, la combattre, devenir un guerrier, un héros. Comme dans ce film avec cet acteur dont tu ignores le nom qui est seul, perdu et survivant. Survivant. À l'aube, il fallait déjà repartir.

Petit, tu passais tes journées dehors à jouer avec ton frère, à construire des cabanes, à faire de la boue avec le sable mouillé, à regarder les voisins partir en voiture, revenir quelques heures plus tard. Une rôtie au beurre d'arachide, une tranche de fromage et un jus de fruit le matin. Le temps était futile, un camion oublié sur le stationnement, un pissenlit que l'on prend pour une fleur, une existence d'enfant. Parfois, pour le repas du dîner, il n'y avait rien de préparé. Alors, tu grimpais sur une chaise, prenais le plus grand bol à ta portée et te servais une généreuse portion de céréales colorées. C'était bon. Tu retournais rejoindre tes amis, à l'endroit même où tu les avais laissés, près de la cour d'école. Ils étaient moins nombreux. Tous attendaient la cloche, même ceux qui n'étaient pas retournés à leur maison.

Au départ, tu étais trop jeune pour les soirées qui s'éternisent. À peine plus de douze ans quand pour la première fois tu ne t'es pas rappelé. Black-out. Le sourire large et la casquette de travers. Dans tes yeux, on pouvait voir l'infiniment petit. Il n'y avait pas de douleur dans ton regard. Il n'y en avait plus. Puis, elle est arrivée. Cette chose trop petite pour être fatale. En trouver. L'écraser. L'inhaler. Puis devenir fort. Il y en avait partout dans la réserve. Dans les maisons, dans la rue. Elle se vendait par petites doses, une pilule à la fois. Pas cher. De la drogue pour les pauvres. Des nuits qui durent des semaines. Il n'y avait pas de limite. Il n'y en avait jamais eu.

Une nuit, tu as ressenti cette douleur indicible à tes côtes, au bas du ventre, comme une barre de métal qui transperçait ton corps. À l'hôpital, tu as passé plusieurs tests. Ils ont vite trouvé ton mal, c'était ton foie. Il était détruit. Tu en avais abusé et il était devenu intolérant. Il fallait arrêter de consommer, maintenant, sans attendre. Tu avais vingt ans.

Les traitements se donnaient dans la grande ville. Tu as quitté ton village, ta misère, ta destruction, tes amis, ta famille. Recommencer ailleurs, essayer, tenter le coup. Se soigner, pour survivre. Être survivant, de son propre corps. Il le fallait. Au bout de cette sale voie, il te restait encore de l'espoir. Partir.

Comme tous les autres, tu as rêvé toi aussi de devenir pompier. De construire une maison. De tomber amoureux. Tu étais petit, assis sur la dernière marche d'un escalier, tu as aperçu une auto neuve passer doucement sur ta rue. C'est celle-là que plus tard tu allais conduire. Noire, luxueuse, avec une fille trop belle à tes côtés. Tu allais devenir quelqu'un d'important, un conseiller ou un travailleur très riche. Tu ne rêvais pas d'être le meilleur, tu voulais simplement être parmi les bons.

Est-ce que quelqu'un t'a déjà dit que tu étais beau ?

De loin, ça ressemble à Paris, à cause de l'usine illuminée qui pointe comme la tour, la leur. Mais qui a déjà vu Paris ? Le sable est doux, il fait chaud. Le feu éclaire une partie du visage des gens qui le regardent. Ce n'est pas permis. Mais qui a dit qu'il ne fallait pas ? Les Blancs qui ont voulu s'approprier cette baie pour y construire des chemins et des ponts, des maisons à mille dollars le pied carré. Alors qu'elle se suffit à elle-même, cette baie, comme eux se suffisent à eux-mêmes, une partie du visage éclairée par les flammes de l'interdit. Bien sûr, ils ont les yeux illuminés. L'anticipation de veiller, de perdre conscience, de perdre douleur, de perdre haine. La haine plurielle qui les nourrit. De loin, ils sont des ombres, avec à peu près une forme humaine. On entend la guitare de l'un, le rire de la fille soûle, les vêtements qui crépitent, les oreilles qui se tendent, les histoires qui salissent les uns, dont les autres se rappellent. La nuit, sur le sable fin de la baie.

Sur la plage, lorsqu'on regarde à l'est, on ne voit plus l'autre rive. Alors les enfants, les mêmes, disent qu'ils se baignent dans la mer. À cause de l'eau. L'eau goûte le sel. Et à cause des vagues. Les maisons, elles, se cordent et s'imitent. Un minuscule village appelé réserve. Des rues. Pashin. De Queen. Grégoire. Arnaud. Kamin. Il y a du sable sur le devant des maisons. Sur l'asphalte des rues. Sur les tapis d'entrée. Derrière les Galeries Montagnaises, que du sable. L'auto démarre. J'ai beau dire, c'est mon chez-moi que je quitte.

Galix. Port-Cartier. Baie-Trinité. Baie-Comeau. Forestville. Tous des villages où je détesterais vivre.

Il n'y a pas d'arrêt obligatoire, mais un plein d'essence ne suffit pas. Aux Escoumins, il y a une station-service dans laquelle, à la présentation d'une carte, on ne paye pas les taxes. Si l'on n'est pas Indien, le détour est inutile.

Là, c'est l'école primaire. Ils l'ont bâtie il y a quelques années. Lorsqu'on la regarde de haut, on peut voir la forme d'un oiseau. Un aigle, je crois. Pour être poétique. Ma mère travaille dans cette école. Elle aide les élèves en difficulté, les déficits d'attention, les classes à part. Elle enseigne à l'un de ses neveux. Un jour, elle lui a donné dix dollars, juste parce qu'elle voulait lui faire plaisir. Le même jour, un autre de ses élèves lui a demandé s'il pouvait avoir dix dollars lui aussi. C'est drôle, tu comprends. Elle dit qu'elle fait son expérience, sa science. Ce n'est pas qu'elle soit jeune, mais elle a commencé à étudier tard dans sa vie. Elle nous avait nous, mais on a grandi, elle voulait plus. Je l'admire, c'est certain, comme toutes les filles admirent leur mère, je suppose. Là, c'est le CPE. Le projet a pris du temps à se concrétiser. L'extérieur ressemble à une cage à chiots peinte en orange. Je préfère le bleu et les formes d'oiseaux. Incohérentes. Rêveuses. La fille qui vient chercher sa fille, c'est ma cousine du côté de mon père. Elle a vingt-deux ans, mais on lui en donnerait cinq de moins. Toute petite et belle. Elle a recommencé l'école cette année. La plus grande de ses filles va à la maternelle. Son copain étudie à Forestville.

Ça se trouve à quatre heures d'ici, en allant vers Québec. Ils ne doivent pas se voir souvent. Je me souviens quand je restais à Québec, j'étais séparée de mon amoureux. Le plus souvent j'étais triste, un chiot qui ne remue plus la queue. En continuant par là, il y a le cimetière catholique. Il n'y a pas beaucoup de tombes, et ce n'est pas parce qu'on ne meurt pas beaucoup. Le premier cimetière est de l'autre côté de la réserve. Ceux qui sont morts après les années soixante sont tous enterrés ici. Comme mon grand-père du côté de ma mère, Alexandre. En innu, on dit *Anikashan*, c'est un dérivé. Il y a un beau monument en pierre qui lui sert de tombe, à lui et à ma grand-mère. Quand j'étais petite, il était placé dans la cour arrière de sa maison. On courait autour et on s'accrochait sur les petites branches qui dépassaient. On ne savait pas qu'un jour il désignerait la mémoire de quelqu'un et que l'envie de s'y balancer nous passerait. Je n'ai pas vraiment connu mon grand-père. On ne comprenait pas ce qu'il disait, ses dents étaient toutes tombées. Lorsqu'il demandait un service, comme aller lui chercher un verre d'eau, on ne pouvait même pas le lui rendre. Alors, il se levait et on se sauvait. J'étais jeune, mais je savais qu'il était admirable. Je voyais les vieux le saluer de leur balcon. Les jeunes artistes arrêter devant sa maison pour lui rendre visite. Les gens le regardaient travailler, pas pour entendre ses marmonnements, mais pour écouter ce que ses mains usées avaient à leur apprendre. J'ai compris en grandissant qu'il n'était pas de ces vieux qui tentent désespérément d'inculquer leur savoir. Il donnait, c'est tout. Sans forcer la main du futur artisan. Un aîné. Il a habité sa maison jusqu'à sa mort. J'aimerais te dire que c'est toujours ainsi chez les Innus. Qu'il n'y a pas, à Uashat, de maison pour les vieillards. Un endroit clos où ils ne font plus de peine à voir. Mais tu saurais que je mens en voyant la nouvelle bâtisse sur la rue Arnaud que l'on appelle les Soins de longue durée. Les vieux, par contre, refusent d'y aller. Ils s'entêtent à attendre qu'une de leurs petites-filles vienne faire du pain, ou que leur arrière-petit-fils les conduise à l'église le dimanche. Ils auront le dernier mot, j'imagine. Mon arrière-grand-mère a vécu 101 ans et jusqu'au dernier jour, sa parenté allait et sortait de sa maison. Même petite, fragile, amoindrie par les saisons froides, elle gardait son domaine d'une main ferme, fidèle à ses coutumes de femme. À ses funérailles, l'église était bondée jusque sur les parvis. Mon cousin avait lu un poème. Ma tante avait énuméré sa descendance. J'étais assise avec ma mère et mes sœurs. En silence. Je ne savais rien de cette Blandine que l'on appelait *Mishta-An-Auass*, et pourtant je me sentais fière de faire partie de ce qu'elle léguait. Je n'ai pas pleuré, je pleure très peu.

Le stade a toujours été là. La peinture rouge est délavée, le blanc écaillé. L'été, il y a des tournois de balle molle. Les gens du village s'y donnent rendez-vous. Les enfants grimpent sur les estrades. Les jeunes mères viennent pour observer leur copain frapper la balle. Jettent un œil distrait à leurs gamins qui jouent sur le sable. Lorsque la chaleur se fait moite, les partisans restent moins longtemps. La partie terminée, des gens se lèvent. D'autres prennent place. Ici, la nuit, les jeunes traînent en bande. Se réunissent sur la dernière marche d'une estrade. Ils rient fort et ils parlent en pointant du doigt ou en gesticulant. C'est à cause de l'ivresse. Ils oublient leur gêne. C'est l'heure des excès. Toute la nuit, jusqu'à ce que leur délire atteigne les premières lueurs bleutées du ciel.

On ne peut pas s'égarer sur la réserve. Ne t'inquiète pas. Elle est si petite. Même les enfants de trois ans jouent sans surveillance. Les voitures sont habituées, elles roulent lentement. Les gens aussi marchent lentement. La fille qui avance vers nous, celle qui est grosse avec le chandail noir, c'est ma cousine éloignée. Nos parents sont cousins. Elle a trois enfants. Je crois qu'elle est encore enceinte. On dit qu'elle parle de se faire avorter. Mais je ne crois pas que ce soit vrai. Les filles ne se font pas avorter par ici. Elles endurent, elles survivent. Elles jouissent, quelquefois, des éphémères plaisirs de l'alcool. La plupart du temps, elles ne trouvent pas de gardienne pour leurs trop jeunes et nombreux enfants. Elles acceptent. C'est ainsi qu'elles sauvent leur âme, je suppose. Ma cousine rit toujours très bruyamment, la main devant la bouche. Typique. Si elle était mince, elle serait belle. Ses cheveux, lorsqu'elle ne les attache pas, descendent jusqu'au milieu de son dos. Elle a des yeux d'Indienne qui ont tout vu, et qui s'étonnent de rire souvent. Un regard qui brûle. De l'intérieur, de l'existence. Tu vois, elle est belle.

Si tu continues ton chemin droit devant, il y aura du sable à tes pieds. Tu goûteras le salé de l'air.

C'est l'heure où le soleil se couche. Le ciel fera des siennes. Laisse les vagues rythmer tes sens. Ça t'apaisera. Tu n'as qu'à traverser les quelques épinettes. Alors tu verras la baie, la plage au sable doux, l'aluminerie, les îles, le fleuve comme une mer. L'océan, d'où tu es venu.

Peu de promeneurs le jour, sinon les femmes et leurs carrosses. Une adolescente de quinze ans traîne son ventre rond d'une maison bleue à une maison beige. Les cernes sous ses yeux. La dureté d'une nuit à attendre un copain. L'absence au rythme des chèques d'aide sociale. Un pick-up passe lentement sur la rue Pashin. Les portes restent ouvertes toute la journée, de juin à septembre. La nuit, les jeunes en bandes. Des caisses de vingt-quatre. Des hurlements tard le soir, des bagarres tôt le matin. Les portes verrouillées. L'hiver, des traces de skidoo des deux côtés de la rue. Le vent glacé. Personne qui se promène. Le moteur des autos tourne en continu. Au bout de la rue Kamin, une petite fille aux yeux bridés. Des framboises derrière sa maison. Un printemps bleu où l'asphalte sèche. Son centre du monde.

La rivière est douce. Son eau abreuve. Elle ravive le long portage de l'automne. Les femmes sont fortes, elles ont sur le dos le cadet. La sueur au front, les épaules fatiguées, les yeux rivés au sol. Le silence. On s'essouffle moins en ne parlant pas. Les trois familles se suivent sur la rive. Ils marcheront encore quatre jours. Ils camperont là où la rivière se rétrécit.

Le vieux parle de la température. Il craint un hiver aride. Il se tait, espère se tromper. La plus vieille des femmes achève de faire cuire le pain sur les cendres. La graisse de caribou donne la force de continuer à marcher. La petite fille court à la rivière. Se penche jusqu'à ce que son menton touche l'eau. De ses deux minuscules mains, elle cueille une gorgée douce. Recommence. Encore. Jusqu'à ce que la soif de sa longue marche se soit apaisée. Satisfaite, elle ramasse le petit sac en toile qu'elle porte à son dos, contenant l'essentiel.

En cercle autour du feu, les invités attendent la mariée. Ils se tiennent par leurs mains moites. La fille à la robe mauve est aux côtés d'un homme en habit-cravate et d'une inconnue qui porte dans ses bras un enfant endormi. Le soleil brûle doucement les joues des deux nations qui se sont réunies cet après-midi-là pour contempler le mariage entre l'Innu et la femme blanche.

Le maître de la cérémonie traditionaliste explique son rêve en *atikameku* et le traduit en français, langue très seconde. Le futur et sa douce offrent à leurs témoins des bouts de bois sculptés. Les témoins promettent leur soutien. Certains pleurent. Le cercle se resserre.

Ne reste qu'à lier leurs mains à l'aide de foulards et de ficelles. Personne n'entend le «oui» de leur cœur. La promesse est dans le regard de ces deux-là, debout au centre du monde, alors qu'elle pleure en souriant.

Il n'y a pas de papier à signer, pas de vœux à réciter, pas de monologue. Ils ont choisi de s'aimer comme des sauvages. Un amour pur, sans contrainte légale. Un amour qui durera. Les amants le répètent à chacun de leurs invités. Ils reçoivent un hochement de tête en guise de réponse, comme une gratitude.

La fille à la robe mauve se presse contre son amoureux endimanché. Elle l'aime.

Le battement du tambour fait lever les femmes en premier. Se suivent les unes les autres, dansent un pied en avant, l'autre légèrement replié. À la manière d'un boiteux. Laissent le chant approfondir chaque mouvement, chaque pas qui se veut lent, les mains près du corps. Souriant. Le cercle se forme intuitivement. Une femme téméraire pousse un cri. Un cri d'Indienne, fort, aigu. Il y a des rires, des échos à sa voix. Les mouvements s'amplifient, certaines jouent des épaules, accélèrent la pulsation des mains jusqu'aux hanches. Les jeunes se laissent conduire, imitent leurs parents. Le cercle est immense, les chaises vides. Puis le tambour ralentit. Les pas s'estompent. On applaudit le vieux et le chant du passé. Les regards se croisent, les yeux fiers. Le désir d'être soi.

Quelque part avant Tadoussac, planté entre deux montagnes, il y a un lac qui reflète les choses de la Terre. Sur la rive, un quai et des canots. Une cabane en bois qui fume à moins de neuf mètres. Personne qui se baigne. Lorsque les feuilles rougissent, le lac éclate dans des couleurs de feu. Il brûle. Quand la neige le recouvre entièrement, les canots disparaissent. Le lac ne réfléchit plus l'éclat d'un bleu céleste. Ne reste que sa pâleur et les milliers d'épinettes grises pour assurer sa beauté.

Les lumières, même de très loin, sont perceptibles. Bien sûr, il est impossible de distinguer le pont et les autoroutes. Les feux de circulation et les lampadaires. Les lumières du château et celles de la tour du CN. Celles des maisons sont à peine visibles. Elles aussi éclairent le halo orangé qui se forme dans le ciel : la ville.

C'est la saison du saumon. Sur la *Mishta-Shipu*, les canots se succèdent au rythme des grosses et petites prises. L'air est frais, le soleil est présent. Quelques mouches errent sur la peau des rares Innus qui prennent encore une fois possession de ces lieux. Sur la rive, ils ont installé leurs tentes, des toiles beiges recouvrent les baguettes de bois attachées les unes aux autres par de la corde jaune. Les femmes ont déjà tapissé le sol avec des branches de sapin tout juste cueillies. Les pêcheurs dorment rarement dans les abris de fortune. Ce sont les familles qui les remplissent. Celles aux enfants trop nombreux ne savent plus comment divertir leur progéniture. Il y a aussi ceux qui ont choisi de ne pas toucher aux boissons fortes durant la période la plus chaude. Ici, la terre est sacrée. Les hommes ne viennent pas y boire, les jeunes non plus. Le silence fait du bien à celui qui l'écoute et parfois même, on peut entendre le saumon qui remonte la rivière.

Les gens passent droit leur chemin. Devant les maisons, derrière, sur le côté aussi. Chaque année, le Conseil emploie des travailleurs saisonniers pour clôturer les nouvelles maisons. Les marcheurs, habitués aux raccourcis, continuent de passer droit. La femme de la maison beige et brune au coin de Kamin et Pashin sort de chez elle, en criant à celui qui entre sur son terrain de ne plus jamais passer par-dessus sa clôture. Il marche sans l'entendre. Il ne fait que passer pour rejoindre son ami qui l'attend. Il pourrait défaire quelques planches pour mieux circuler. Là elle pourrait crier. La femme ne crie jamais après les soûlons. C'est à cause du Dépanneur planté juste derrière sa maison. Elle voudrait demander au propriétaire de placer une grille haute pour empêcher une fois pour toutes les paresseux de briser sa vieille clôture qu'elle s'enrage à réparer chaque fois.

Là, au début. Une clôture. Plus haute que la tête des hommes. Le métal entoure des cabanes en bois, éraflées par le souffle continu du vent de la haute mer. Dispersées et immobiles. La ville s'arrête où la réserve commence. La clôture plantée là, un gardien contre les loups, les Innus. Ils s'attardent derrière la barrière. Se tiennent tout près. Cherchent l'issue, trouvent le chemin de leurs propres lois. Ils veulent fuir, là où il n'y a pas de barricades.

La chapelle baptiste a été construite devant le cimetière catholique de la réserve. Depuis un certain temps, le pasteur en parlait. Elle fut bâtie en un été, peinte en vert et blanc. Dans les conversations, on entendait, par bribes, le mécontentement et la colère. Les plus radicaux juraient de la faire brûler. D'autres ne cherchaient pas la querelle, ne cherchaient pas non plus à avoir les baptistes à proximité.

Le cœur catholique, établi depuis l'époque des jésuites, bat encore dans l'âme innue ; seule religion apprise, acquise, presque traditionnelle tant la prêtrise remonte à loin dans les souvenirs de la nation. Seul souvenir oublié : l'émancipation des Innus à l'âge des premières lettres. L'événement : l'enlèvement des Indiens qui n'ont jamais demandé à être Blancs. Leurs enfants dispersés, emmenés ailleurs durant les durs mois de l'année scolaire afin de donner, disent-ils, un sens à leur intelligence. Une querelle de famille qui ne se réglera jamais, comment le fils demandera-t-il pardon au père ? Une poussière sur le cœur. Une ride sur le front.

Une dizaine d'autos sont garées devant la maison. Des personnes fument sur la galerie et à l'intérieur. Certains sont las de souffler de la fumée par les narines et par la bouche, ceux-là fument depuis longtemps. Ils attendent. Ils guettent. Ils squattent la maison du défunt. Par sympathie, par respect, par connaissance, par cœur, par peine, par raison, par parenté, par amitié, par partage, par reconnaissance, par autorité.

Le fleuriste est le premier à s'installer dans le salon. Des roses, des tulipes, des œillets, tout est couleur été. Les gens regardent les bouquets.

Le corbillard est noir, lustré. Les hommes vêtus en habits à cravate extirpent le cercueil de la voiture. Ils montent solennellement les quelques marches d'escalier. Autour, on s'assemble, en laissant un passage suffisamment large aux hommes, le temps de placer le cercueil, accoté au mur le plus large du salon. Le fleuriste revient. Éparpille d'autres bouquets sur le devant, sur les côtés et au-dessus du cercueil. Quelques cigarettes fument encore dans les cendriers. Un chant résonne dans le cœur d'une vieille dame, elle entonne le premier couplet.

La veillée du mort dure trois jours, trois nuits. Une dizaine de chaises ont été mises devant le cercueil, exprès pour les prières et le recueillement. Le café et le thé abondent. Les visiteurs apportent avec eux des pâtés, des tartes, des fruits, des sandwiches.

Refuser d'embrasser le mort, de l'approcher, de lui baiser les mains en signe d'amour et de dévotion. Ne pas vouloir le regarder, ne pas pouvoir. Se recueillir sur la chaise la plus éloignée. Ne pas pouvoir pleurer, par crainte d'être incomprise. Se taire. Observer le visage, le temps d'un regard, ne pas comprendre la mort. Penser à son grand-père, à sa grand-mère, à son père. Accepter d'embrasser la famille du mort. Partir.

Le mort est en terre. La maison vide. Une seule voiture garée devant. Le silence fait écho aux prières marmonnées la veille. Le plancher sali par les traces de souliers. La télévision éteinte, à l'endroit où l'on avait placé le cercueil, où l'aîné l'avait ouvert, sans sourciller, comme habitué à la vue des cadavres. La photo du jeune homme, dont on a tant vanté la vigueur et la grandeur ce matin lors d'un dernier hommage, est encadrée, placée sur une petite table en bois, dans le coin du salon, le visage muet et soucieux, à perpétuité.

Une table haute pour le souper. Un fauteuil qui sert de lit à mon bambin. Ma sœur et ma mère qui ronflent. Des couvertures installées par terre. Une porte qui claque.

Un lit grand comme le monde. Du chocolat fondu dans une cafetière. Quelques bières à peine achevées sur la table. Un grand miroir sur lequel on se voit d'un bout à l'autre de son corps. Une fenêtre et des centaines de lumières. Des huiles qui sentent le melon d'eau. Une lumière tamisée juste ce qu'il faut.

Le plafond en pente, style chalet. Les murs violet et turquoise. La chaleur des couvertures dans une chambre mal chauffée. Les draps défraîchis par l'usure des nuits communes. Le temps d'une nuit. Quelques rires. Quelques soupirs. Les heures du matin qui s'alignent. L'odeur d'un rien qui finit. De fausses fleurs avec de faux pétales. Une chambre trop petite.

Les fourmis noires s'empressent de grimper sur les chevilles des cueilleurs. Le bleuet pousse là où la forêt a laissé ses cendres.

Accroupie, le dos rond, elle déplace sa chaudière à moitié pleine d'une talle à l'autre.

Une forêt incendiée. Sur un écriteau en plastique blanc, des lettres rouges : Défense de passer. Plus loin : Futur site pour bleuetière.

La maison est petite, posée sur le sable. Personne pour l'entourer de clôtures, pour la garnir d'un bois court. Le bleu de ses façades est terne, presque gris, fatigué. Unique, esseulée dans sa dimension. Le sable ensevelit les déchets et les rares bouteilles de bière vides que personne ne s'est chargé de ramasser. En collision avec les murs, de courtes herbes poussent, parsèment les trois mètres de façade, d'un côté et de l'autre. La galerie en bois, envahie par les chiens et la pluie. Le solage de ciment dépasse de deux pieds de haut. La chaise de métal qui sert l'été, repliable pour la nuit. Les fenêtres jamais refaites laissent entrer le vent frais du matin, l'air sec de décembre. Des traces de doigts laissées sur les vitres de la cuisine. Devant la porte beige, une odeur de moisi. De quelque chose en décomposition, qui cherche à nuire, même à la voisine d'à côté.

L'école primaire, le secondaire. Le Conseil de bande. L'Église catholique. La centaine de maisons, trois modèles. Le parc vandalisé. Les déchets sur le coin des trottoirs, des clôtures, des maisons. Les maisons en construction, en démolition. Le cimetière avec des croix en bois, des bouquets à leurs pieds et des statues en pierre. La garderie peinte en orange. Le camping habité par la vermine. L'agora en plein air, là où le soleil se couche et où le vent se déchaîne. La patinoire qui sert aussi de terrain de basket l'été. Le stade et les estrades. La piscine chauffée, clôturée, pleine d'enfants avec leurs casques de bain. L'odeur de la mer à proximité. Le sable qui mène à la baie. L'eau polluée par l'aluminerie. L'île Grande-Basque. L'océan.

C'était le travail des hommes, bénévoles. Ils avaient choisi le terrain vierge en face du dispensaire. Ils s'étaient entendus pour construire lors d'un samedi. Le Conseil avait fourni les matériaux. Ensemble, ils avaient mis sur pied une salle communautaire, pour les mariages, les funérailles, les fêtes saisonnières, les concerts innus. Le travail s'était étendu sur quatre jours complets. Les moins pratiquants avaient négligé la messe. Il n'y avait pas de solage. Juste une charpente rectangulaire avec une façade et des frontons de bois. Pour l'inauguration, il y avait eu un dîner communautaire. Du caribou, de la perdrix, des pâtés à la viande, du lièvre. Rassasiés, ils avaient dansé et ri jusqu'aux petites heures du matin.

Des années plus tard, la démolition n'a duré que quelques heures.

À la Sainte-Marie

Derrière la blancheur de sa peau, elle est rouge de la tête aux pieds. Rouge, la couleur des tisons qui fuient, celle de la brunante aux chaleurs d'été et celle du sang qui coule de la fourrure des animaux chassés. Elle s'élance, poussée par un fardeau trop lourd pour ses épaules. Dans une langue qui n'est pas la sienne, décrire un monde qu'elle a fréquenté, déchiffrer les sons graves de ceux qui sont aspirés, elle s'amenuise à chaque accord de guitare sèche. Son souffle s'accélère, elle dit *mamu* et les spectateurs comprennent qu'elle parle d'eux, des autres, de ce tout qu'ils forment par petites têtes brunes et blanches. Seule sur scène, elle chante la langue d'un peuple oublié, comme un appel à l'aide, comme par modestie. La voix claire et l'âme belle, pour ne pas oublier.

La grosse femme, la peau brûlée par le soleil, continuellement assise sur son balcon, sa maison a été jugée insalubre.

Elle ira vivre chez sa fille, à Nutashkuan, le temps de la démolition et de la reconstruction.

Après, sa maison appartiendra à une autre famille.

Aller chez sa cousine lui prend cinq minutes, trois si elle court d'un trait. Elle enfile son manteau de printemps, ses souliers de toile et part sans regarder derrière pour rejoindre son amie. Elle regretterait d'être en retard, car sa tante l'emmène voir les écureuils avec sa famille. Ils donneront des arachides aux rongeurs bien nourris, presque domestiqués à force de promeneurs. Ils marcheront quelque temps sur la promenade qui borde la rivière rapide dans laquelle on ne peut pas se baigner, même pas se tremper les pieds. Au bout du sentier, il y aura les petites maisons : une école, une église et une maison avec des fenêtres et une chambre à l'étage. Elle se demande si de vraies petites personnes ont déjà habité les maisonnettes. Elle suppose que oui. Qui s'amuserait à construire de si jolies choses sans raison, pour les laisser vieillir, inhabitées ?

Elle aperçoit sa cousine dès qu'elle tourne le coin de rue. Elle court plus vite, sans jamais se demander pourquoi sa mère à elle ne l'emmène pas aux écureuils.

Il est las de ne jamais être à la hauteur. D'entendre crier la mère de ses enfants. De ne pas savourer les repas qu'elle lui prépare, les repas fades et sans goût dont les enfants s'empiffrent tous les jours. Il se sent idiot, immobile devant l'écran de télévision à écouter les mêmes vieux films, chaque après-midi. Il se sent idiot en s'habillant le matin, sachant qu'il ne s'absentera que pour aller chercher du lait au dépanneur, ou bien fumer un joint chez son voisin. Même stupide de prendre sa douche.

Il voudrait faire plus que d'attendre un chèque le premier du mois, l'argent qui brûle les doigts de sa copine, avant même qu'il puisse rouspéter. Mais il ignore ce qu'il pourrait faire.

Il paraît que les hommes partaient à la chasse autrefois, des semaines durant, qu'ils revenaient vers leur femme avec de la viande pour des mois. Il paraît qu'une bonne pêche invitait à un festin tous les soirs de juin à septembre. L'homme, même absent durant de longues périodes, était maître de sa maison ou de sa tente. Il paraît que ces hommes savouraient chaque retour avec la conviction du travail accompli, avec l'ardeur et la rigueur qu'apporte ce sentiment masculin de fierté d'être non seulement pourvoyeur, mais aimant envers sa famille.

Personne ne lui a dit comment aujourd'hui il pouvait être comme ceux-là.

NUTSHIMIT

Nutshimit, c'est l'intérieur des terres, celles de mes ancêtres. Chaque famille connaît ses terres. Les lacs servent de route. Les rivières indiquent le nord. Si on s'aventure trop loin, par manque de jugement, il y a toujours le chemin de fer pour retrouver sa voie.

Nutshimit, un rituel pour les chasseurs de caribous. Un air pur dont les vieux ne peuvent se passer. Depuis qu'ils ont perdu la vigueur de leurs jambes, ils y vont pour respirer.

Nutshimit, un terrain inconnu, mais non hostile pour celui qui y cherche le repos de l'esprit. Autrefois, ces forêts étaient habitées par des hommes, des femmes qui prenaient de leurs mains ce que la Terre leur offrait. Ils n'y sont plus, mais ils ont laissé sur les rochers, l'eau des chutes et le vert des épinettes leur empreinte, leur regard.

Nutshimit, pour l'homme confus, c'est la paix. Cette paix intérieure qu'il recherche désespérément. Ce silence après avoir hurlé, des nuits durant, son angoisse sans que personne ne l'entende. Le silence d'un vent qui fait bruisser les aiguilles de sapin. Le silence d'une perdrix qui déambule aux côtés d'une dizaine d'autres. Le silence du ruisseau qui continue de suivre sa route, enfoui sous un mètre de neige.

Le jeune homme veut entendre ce que la terre de ses ancêtres a à lui dire. Il prend le train, ce matin.

Ils disent : aller au train. Ils ne diront jamais : aller à la gare ou aller au chemin de fer. Mais aller au train, c'est comme partir très loin. Une envie de s'approprier le long voyage vers Nutshimit. Ils vont au train parce que c'est un moyen de transport qui leur est familier. Le seul qui monte tout droit vers le nord par le chemin de la terre, qui suit le long trajet des petites escales pour se rendre jusqu'à Matimekush, Lac-John, la ville du fer.

La bâtisse qui fait office de gare est vieille, recouverte de tôle grise. Les murs sont beiges. Il fait froid à l'intérieur l'hiver parce que les gens ne ferment pas la porte. Il y a à peine quelques chaises orange pour attendre l'heure de l'embarquement qui se fait tôt le matin, deux jours par semaine. Les voyageurs restent dehors, fument une cigarette en buvant un café sucré. Pas d'impatience. Ils savent que bientôt ils partiront, soit pour l'un des centaines de chalets qui se tiennent et s'éparpillent le long de la voie ferrée, soit pour Matimekush. Les familles et les vieux préfèrent la saison froide pour les voyages en train. Ils emportent leur manteau le plus chaud, plusieurs paquets de cigarettes et des boîtes remplies de nourriture, suffisamment pour la semaine. Les hommes, eux, suivent le temps de la chasse, partent lorsqu'ils ressentent le besoin d'isolement. Ils emportent moins avec eux, sinon les fusils et les skidoos, des vêtements chauds et de l'essence. Pas de viande, ils font confiance à leur orgueil de chasseur. Il n'y a pas d'alcool dans leurs bagages, par respect pour la terre. L'heure des embrassades, les bébés dans les bras, on se dit à bientôt, on ne pleure pas, car on sait que ceux qui partent vont chercher du repos dans la forêt. Personne ne les plaint, ils sont enviés. Eux sourient en tendant la main, leur repas du midi dans la boîte à lunch. Il est huit heures. Le début de la longue route qui dure quelques heures, une journée, jusqu'à tard dans la nuit, dépendamment de la destination de chacun. Le train part silencieusement, tranquillement, pour faire sentir toute son importance.

Il fait toujours noir quand le train revient. La place est pleine, comme si l'absence des chasseurs avait duré des mois. La plupart d'entre eux ne sont partis qu'une semaine. Certains sont restés plus longtemps, ceux-là veillent plus tard à leur retour. Il y a une attente pour chaque absent. Des bras nombreux pour les bagages. Des accolades, des visages qui sourient. Les questions essentielles sont posées : Alors, combien de perdrix, de lièvres, de caribous as-tu tués ? Les autos repartent une à une, bondées et animées.

L'été refait ses premiers signes, l'enfant revient. Il a changé. Il a vieilli. La mère prend dans ses bras le petit homme. Elle pleure de ne plus reconnaître sa voix et ses manières. C'est le changement de saison. Elle voudrait que l'été dure longtemps.

L'homme se tient debout, la cravate nouée, le costume noir, le sourire ambitieux. Il se tient debout et il est grand. D'une main il serre la femme près de son corps, une petite femme brune à la robe blanche qui sourit, la bouche fermée. Derrière eux, l'automne…

Une fourrure morte sur la neige tachée de sang. Abattue par la carabine posée sur le dos d'un Innu aux yeux bridés et brillants, de cette fierté que les hommes ont à tuer les bêtes grises, comme un gamin, les lèvres pincées et la main au cou de l'animal. Un genou à terre, l'autre prêt à bondir. Jamais tranquille le repos du guerrier…

Ça riait dans sa tête. Ça parlait des candidats à la chefferie, et des livres à lire, et des élèves futurs, et des gamins qui grandissent, sans distinction. Le dédoublement des choses pouvait apparaître comme un indice, des gorgées rouges et blanches. Ça ne goûtait même plus. Ça ne sentait rien. Les mots sans justesse, si importants, passaient au-delà des lèvres pour atterrir sur le balcon d'un autre. Black-out.

Les récalcitrants se butent, ils affrontent l'autorité, leur combat : faire grandir la chair de leur chair. Les élever à devenir des hommes, des femmes, une nation qui leur ressemblera, qui ne dominera pas, qui subsistera, qui vivra.

Le vieil homme à la peau blanche a mis ses plumes et ses vêtements colorés. Enfilé ses mocassins, ce qui fait de lui un Indien. Le calumet à la main, il ira parlementer avec le chef d'État.

À quarante ans, elle a découvert sa vraie nature. Mère, grand-mère à quelques reprises. Femme d'expérience, de carrière, mais pas carriériste. Une fois élue conseillère dans son village. Une fois candidate à la chefferie, défaite, mais pas perdante. Un regard doux, le sourire familier. Pensant se connaître à quarante ans, elle est partie avec un petit groupe suivre le chemin de ses ancêtres.

Le printemps, les nomades retrouvaient leur village par le chemin tout tracé de la rivière. Ils traversaient les monts et les vallées, ramaient, marchaient, portaient. Ils y étaient habitués, restreints à se fondre dans la nature pour survivre. À se substituer à elle pour exister.

Elle n'était pas prête à ce qui l'attendait. Qui le serait? Le train les avait déposés au mille 150. Ils avaient pris le souper dans un chalet. Le feu crépitait dans le poêle, la chaleur était bonne. La cheminée fumait, autant que les quatre femmes et le jeune homme qui discutaient joyeusement. Tout le monde se coucha de bonne heure. Tôt le matin, il fallait plier bagage et partir.

C'était le début de quelque chose, la fin d'une autre. Marcher. Il fallait commencer par mettre un pied devant, le sac en toile sur les épaules, s'accrocher une confiance sur les lèvres. Marcher jusqu'à la rivière. Ramer. À genou sur les planches de bois d'un canot qui avait mille fois fait ce trajet. Suivre la rivière, reconnaître en elle la voie, celle des anciens, celle des siens.

Quelques jours plus tard, elle voulait être chez elle, dans sa maison, dans son lit, avec son amoureux, au chaud, propre et fraîche, pour boire un café le matin avec de la crème et du sucre. Elle se refusait à vivre comme une nomade, à porter un instant de plus le nécessaire sur ses épaules. Elle n'était pas de celles-là, de ces femmes du passé qui ne comptaient ni le temps ni les efforts. Qui grimpaient chaque mont comme si c'était la première fois. Comment combattre la nature, sa propre nature ?

Puis le matin était arrivé, aussi sec que la nuit. Pour la première fois depuis son départ, elle sortit le miroir carré qu'elle avait emporté par orgueil ou par dépit face à ce qu'elle avait laissé derrière elle. Elle vit que sa peau avait bronzé, que ses cheveux étaient gras, que ses sourcils n'étaient pas épilés, qu'elle semblait fatiguée. Fâchée de voir ainsi son image, son visage se métamorphosa. Pendant quelques secondes, elle crut voir le reflet d'une volonté familière, le regard qu'elle connaissait de la femme qui lui avait donné la vie. Les yeux de sa mère sur son visage à elle. Un défi, un combat, une quête, mais plus jamais une défaite. Elle aspira pour la première fois une bouffée de passé qui sembla se joindre à la réalité impassible de cette journée nouvelle.

Ramer, marcher, porter, camper, manger, dormir, décamper, ramer. C'était sa vie. Celle que pour un temps elle avait choisie. Un emprunt à ses ancêtres. Héritière par choix. Le chemin était déjà tracé par les milliers d'autres portages. Suffisait de se laisser guider. De croire en la promesse d'un matin plus doux. Cueillir de ses propres mains la pureté de l'eau. Libre dans la seule contrainte de survivre. Entourée d'épinettes hautes et de courts feuillus, elle vit les pistes du lièvre et repéra la perdrix silencieuse. Elle remercia les quatre autres d'avoir résisté. Elle remercia le ciel pour sa douceur en ces soirs de mai. Jusqu'au dernier pas, elle remercia le créateur de l'avoir guidée.

C'est la pluie qui m'a réveillée ce matin-là. Des milliers de gouttes d'eau se fracassaient sur la toile bleue, imperméable. Il faisait gris. L'odeur des branches de sapin qui tapissent le sol. Des parois souples qui forment un parfait triangle au-dessus de la tête. La fraîcheur vite combattue par le feu dans le poêle posé sur quelques briques, par précaution. Fermer les yeux, même éveillée, pour ne rien perdre de la réalité, de ce maintenant. Respirer aussi fort que possible cet air tantôt chaud, tantôt froid. Le respirer d'aussi loin que le peuple se rappelle.

La tente, un abri de fortune, un héritage, le choix du nomade, le répit après une longue marche, le plus paisible des sommeils, une toile posée sur des baguettes de bois.

Celui qui était beau ; celle qui prie pour mieux qu'on se sente ; celui qui fabriquait des tambours en peau de caribou, de ses mains vieillies par le sapinage et les chemins à bâtir ; celle qui nous nourrissait de pain frais sur lequel le beurre fondait et de macaronis longs aux tomates et au bacon ; celui qui a migré vers la nouvelle réserve lorsque d'autres refusaient ; celui qui fumait ; celle qui était là à mon gala, à ma graduation, aux premiers jours de mon enfant ; celle qui a vécu le XXe siècle sans jamais parler un seul mot français, mais qui dans notre langue avait toujours trouvé le mot juste pour nommer telle modernité ou telle menace à sa liberté ; celui qui a vu naître tous ses enfants sous les tentes ; celui qui n'a jamais vendu sa terre ; ceux qui autrefois ont arpenté le pays, d'un océan à l'autre, pour ne jamais rester au même endroit ; et ceux que nous sommes devenus.

Tu étais chasseur, nomade, survivant. Tu as vieilli, tu as cessé d'abattre l'épinette, tu as légué tes luttes qui jamais n'ont été perdues.

Le tambour qui traîne dans l'armoire, c'est toi qui l'as fabriqué. Tu as tanné la peau de caribou, tu as choisi l'arbre à abattre pour qu'il devienne un cercle de bois ferme, de la profondeur d'une grosse main d'homme. Une fois les petits os qui mesurent l'écho installés, une fois la peinture sèche et le cercle parfait, du bout des doigts, tu as donné trois coups sur le travail de tes mains. C'était un cœur. Le son d'un cœur triste et lent qui a résonné sur la peau presque blanche, aussi douce que le ventre d'une perdrix.

Les gens de la ville disent qu'il faut quitter la baie. Ils parlent fort, parlent longtemps. Ils veulent installer la réserve plus loin, toujours sur le bord du fleuve. Un endroit où ils construiront une école, des maisons et des rues. Certains les écoutent, ils partent. Eux, la baie ne leur appartient pas. Mais elle est tienne. Tu refuses de quitter cette parcelle de terre, par défi, par amour, par fierté. Planté sur tes deux pieds d'Indien, tu résistes, le ventre bourré de peur, mais avec le courage, le courage très ancien des premiers habitants qui autrefois ont vaincu le pays.

C'est par cœur que tu connais le nom des rivières et des arbres. Ceux des monts et des vallées, les plantes qui guérissent et celles qui font mal. Tu peux nommer les vents et les saisons, les neiges mouillées et les poudreries. Tu connais les bêtes et leurs petits. Mais parce qu'ils sont nombreux, tu oublies parfois le nom de tes petits-enfants, ceux des enfants de tes petits-enfants.

Depuis qu'elle est partie, elle te manque tous les jours. Cette femme qui t'a donné quatorze enfants. Qui a fait cuire le pain, qui a cousu les mocassins. Tu te souviens d'elle à vingt ans, lorsqu'elle ramassait les branches de sapin, pour faire un tapis sous la tente. Tu t'en souviens comme si les années n'avaient pas passé. Tu pleures de ne plus reconnaître son visage, son odeur parmi les dizaines que tu côtoies. Et elle, elle t'appelle constamment. Cette terre que l'on appelle *Nutshimit*, avec ses lacs plantés entre des montagnes, riches des choses de la terre. Lorsque le vent se lève, quelque chose en toi te presse de partir. Dans ton vieux pick-up gris, accompagné d'un petit-fils, tu roules sur la 138, passes à côté de la station d'essence de Mani-utenam. Les épinettes et les sapins se dressent des deux côtés de la route, ils pointent vers le ciel. Tu entres sur le chemin de terre, c'est cahoteux. Quelques tentes plantées sur les berges d'une rivière au courant froid. C'est la saison où les pêcheurs tenteront de faire mordre le saumon, c'est juin et la chaleur du soleil n'a pas encore fait naître les mouches. Tu parles peu, mais ton silence et tes soupirs résonnent comme un ennui. Ton petit-fils regarde par la fenêtre ouverte. Connaîtra-t-il lui aussi le chemin vers la tradition ? Et elle, elle t'effraie, comme un absolu. Cette coutume qu'ont les hommes de partir à temps prévu. Dans le mal des os et les prières au créateur, tu sais qu'elle approche. Par un moment subit ou par la lenteur d'une maladie, elle te prendra, toi aussi, toi le grand homme aux cheveux gris, toi qui as acquis la connaissance de tout un peuple, toi qui as engendré des enfants fiers et nombreux.

Toi, Anikashan.

Ce qui me revient en mémoire : des cheveux courts et grisonnants. Une grosse robe fleurie en coton léger et par-dessus, un tablier qui fait le tour de son ventre, celui qui a porté dix-neuf enfants. Sa peau brune avec des taches de rousseur sur ses épaules et sur ses bras, sur son nez et sur ses joues. Un visage rond et de petits yeux bridés. Je crois qu'elle était vieille, mais que personne ne s'en rendait compte. Toujours là à tenir sa maison, à faire du pain, à coudre des mocassins, à broder des fleurs, à tendre la babiche sur les raquettes, à nous demander, quelquefois, de lui brosser les cheveux. Elle respirait fort lorsqu'elle tenait des aiguilles entre ses lèvres pincées. Elle ne riait pas quand on perdait la télécommande de sa télévision. Pour se reposer, elle se berçait parfois, mais toujours elle avait un morceau de tissu dans les mains pour continuer à travailler. On l'appelait *Tshukuminu*, comme si elle était la grand-mère de tout le monde.

Ce n'était pas une grand-mère comme les autres. Elle ne laissait pas passer le temps. Elle ne se déplaçait pas pour des riens. Elle ne gardait pas d'enfants pour se désennuyer. Elle travaillait chez elle, était beaucoup plus artiste qu'artisane. Elle nourrissait ses petits-enfants. Dévouée à son mari. Pieuse. Peu bavarde. Elle était grande, de cette grandeur qu'on acquiert en vieillissant. Sérieuse, presque sévère, accoutumée à son rôle de femme. Parfois elle riait, elle était belle, comme si le bonheur l'avait finalement coincée et qu'elle ne pouvait en rien s'échapper. Le rire de ma grand-mère gravée à jamais dans mon enfance.

Aux quatre heures, il se réveille. Il pleure, affamé. Il crie pour qu'on le nourrisse. Sa mère se presse de chauffer le lait. Elle se presse même si elle sait qu'il ne mourra pas. Elle tente de le consoler en le berçant dans ses bras, doucement et tendrement. Deux mois qu'elle joue à la maman. La nuit elle dort par petites secousses. Parfois même, elle berce. Ne fait que bercer. Sa mère à elle dort dans la chambre d'à côté. Ses larmes coulent. La fatigue bien sûr. Cette maison qui n'est plus la sienne depuis ses sept ans. La chambre rose qu'elle n'a plus. Son corps d'enfant, les joues gonflées de rires. Se faire bercer.

Le risque de ne pas tomber enceinte est plus grand que celui de l'être. Elles veulent toutes enfanter. Dès qu'elles trouvent preneur, elles ne se protègent pas, elles attendent que leur ventre s'alourdisse. Shannon a peur de ne jamais porter la vie. Dans ses désespoirs d'enfant triste, elle en veut à sa mère d'avoir si facilement conçu huit enfants. Elle voudrait seulement, comme toutes les autres, promener en carrosse un petit qui serait le sien, à elle.

L'enfant, une boule de chaleur, un rêve, petite fille ou petit garçon, une échographie, une parcelle de réalité, un battement de cœur si rapide, une prospérité, une façon d'être aimée, une rentabilité assurée, une manière d'exister, de faire grandir le peuple que l'on a tant voulu décimer, une rage de vivre ou de cesser de mourir. L'enfant.

Quand il viendra, elle n'aura pas encore le droit de conduire, juste le devoir de s'instruire. Elle rougira de honte lorsqu'on lui demandera comment s'appelle son petit frère. Elle sera seule jusqu'à minuit les soirs de fête, dans une maison peu spacieuse pour ses rêves de princesse. Elle aura vingt ans quand il fêtera son cinquième anniversaire.

Quand elle aura le double de son âge, elle aura l'impression qu'il la rattrape. Jeune et belle. Trente ans ce n'est rien. Il lui en voudra à seize ans de ne pas avoir été à la hauteur. Se lamentera comme une bête pour une paire de chaussures neuves qu'il n'aura jamais portées. Traduira son manque par un silence. Son silence par la jeunesse, l'insouciance, l'irresponsabilité de ses parents. Il criera qu'il est un accident et il aura mille fois raison.

Mais il aura ses yeux à elle. De la douceur dans ses gazouillements. De la splendeur dans ses maladresses. L'envie de vivre dans ses tétées. Quand il viendra au monde.

Elle rit. Elle engloutit les canettes de Bud que les autres lui tendent en disant: Reste. Elle sait qu'elle ne rentrera pas chez elle cette nuit. Sa mère l'attendra, peut-être qu'elle ira même à sa recherche dans la réserve. Pourquoi sa mère est comme ça? Les autres, ils rentrent tard, ne rentrent pas. Ils se soûlent tous les jours, ils avalent des pilules qui les extasient, ils couchent et recouchent ensemble. Elle aimerait être libre, de cette liberté qu'elle croit mériter à cause de ses seize ans. Elle se sent prise, dans le filet de la morale. Elle voudrait être comme eux, se lever demain avec la gueule de bois et une sucette bien visible au cou. Ici, au bord de la baie, derrière les épinettes et les sapins, assise devant un feu immense qu'elle contemple, ce soir, elle restera introuvable.

Il a commencé à pêcher très tard dans sa vie. À vingt ans, il a fait mordre sa première truite dans un ruisseau du mille 60, près du campement de son grand-père. C'est là aussi qu'il a tiré sa première perdrix. Il devait être né pour être chasseur, mais personne ne le savait. Ses collets à lièvre étaient parfaits, aucune bête ne pouvait les contourner. Lorsqu'il jetait la mouche, il savait que la truite se pendrait au faux insecte.

Maintenant, il a quarante ans. Il est engagé par le Conseil de bande pour pêcher dans la rivière à saumon. Il y a deux sortes de saumons : l'*utshashumeku* qui a rejoint la mer et qui remonte vigoureusement la rivière, il est gros et son goût ne peut trahir le salé des hautes vagues, et le *pipunamu* qui n'a jamais quitté l'eau douce. Celui-là est petit, plus facile à appâter. Il pêche à longueur de journée, au milieu du courant, à la dérive, le moteur éteint. Sa peau brunit au fil des prises, petites et grosses.

Sur la rue qui passe devant le dispensaire, puis l'école, et la patinoire, on voit constamment les quatre gamins qui suivent la petite Lise. Elle a eu ses quatre enfants un à la suite de l'autre. Et maintenant, le plus vieux la dépasse en marchant. Les trois sœurs ricanent derrière elle. Ils marchent sur la rue Pashin pour rejoindre *nimushum* et *nukum*. Ses bébés sont là, mais son mari n'y est plus. Il est parti trop tôt, il y a trois ans. Trop tôt pour prendre dans ses bras la cadette de ses enfants. Trop tôt ou trop tard dans la nuit, trop enivré lorsqu'il a pris la route qui mène à sa maison, sur la rue Kamin. Celle-là, pleine de rires d'enfants, ces enfants qui comprennent trop mal, qui oublient trop vite. Ils sont cinq à marcher, comme si, en cet après-midi ensoleillé, il ne pouvait rien arriver de grave.

Je voulais t'amener là où rarement un étranger a mis les pieds. Là où le train te mène, où il se décharge de toi et de tous tes bagages, si essentiels dans un lieu désert. L'endroit dissimulé derrière une forêt d'épinettes qui offre en hiver la claire blancheur d'un lac gelé, la même couleur que celle de ta peau. Je voulais que tu voies la forêt vierge jusqu'à sa racine, que tu entendes le parfait silence de la brise à la brunante. La nuit, nous nous serions couchés sur la neige épaisse, habillés en esquimaux, nous aurions admiré les aurores de janvier. En amoureux. Tu aurais coupé le bois qui le soir nous aurait réchauffés. J'aurais fait bouillir la soupe et cuire le pain pour t'entendre dire : Ça réchauffe le cœur.

Tu as vu la réserve, les maisons surpeuplées, la proximité, la clôture défaite, les regards fuyants. Tu as dit : Juste un peu de gazon, puis ce serait correct. On a dormi dans la maison de mon enfance.

Mais ce que j'aurais aimé partager, c'est cette indicible fierté d'être moi, entièrement moi, sans maquillage et sans parfum, dans cet horizon de bois et de blancheur. De grandeur, qui rend humbles même les plus grands de ce monde. En suivant la route du caribou, tu aurais vu la ténacité des hommes devant le froid, plus vivants que jamais, enfin dans leurs coutumes. Puis, au retour de la chasse, il y aurait eu du lièvre et de la banique, du thé sucré pour vous réchauffer. Tu aurais habité pour quelques jours la terre de mes ancêtres et tu aurais compris que le gazon ne pousse pas naturellement sur le sable.

Tout tient en une pièce, le mur le plus large fait face au lac. Le coin droit sert de cuisine. La lumière du jour entre par la fenêtre devant la table. Les quelques armoires du haut, grossièrement fabriquées avec des retailles de planches, contiennent du sucre, du café, du lait, de la confiture, de la mélasse, du lait Carnation, des tasses dépareillées, des assiettes grosses et petites, des céréales colorées pour le déjeuner des enfants, du sucre brun, du gruau, du beurre mou dans un plat de margarine, une boîte de biscuits secs et durs, des boîtes de conserve de soupe, de fèves au lard, de maïs en grain, de la graisse, un contenant de viande de caribou séchée, broyée, un sac de thé, des petits paquets de levure, le sel, le poivre. Les armoires du bas servent à mettre les quelques chaudrons devenus inutiles à la maison, le sac de farine, la poche de patates à moitié pleine, le bac pour faire la vaisselle, le savon à vaisselle, les grands sacs verts, les petits sacs blancs. Les ustensiles sont posés dans une boîte en métal fermée sur le comptoir en bois. Le four est alimenté par une géné-ratrice. La partie cuisine est séparée de la partie salle de bain par le poêle noir tout au centre de la cabane. Suspendus au-dessus du poêle par des perches mises là exprès, il y a des choses humides qui tentent de sécher, des mitaines, des bas de laine, des feutres, des mocassins, des tuques, des foulards, des linges à vaisselle, des débarbouillettes, des serviettes, quelquefois des vêtements d'homme et d'enfants – si la femme de la maison décide de faire une lessive rapide, essentielle. Il n'y a pas de machine à laver, on attend d'être chez soi. Sur la fonte chaude du poêle, la théière pleine à toute heure du jour, en guise de réconfort après une longue marche dans l'hiver. À gauche, un miroir rond et un grand bol fleuri posé sur un petit bureau. Quelques brosses à dents dans un verre qui ne sert pas à boire. La chaudière blanche, par terre, n'est là que pour la nuit, pour les besoins urgents. La bécosse se trouve à l'extérieur. Accotés au mur du fond, trois grands lits achèvent de meubler la petite cabane en bois. Les couvertures sont épaisses en raison des grands froids de janvier, du feu sous-alimenté la nuit. Même isolés, les murs laissent entrer des bribes de vent glacé, les gens se couvrent plus étroitement entre les plumes. Une table de chevet salie par la cire des chandelles, la cendre de cigarette, les marques de crayon-feutre, la poussière des absences, le temps. Au coin du mur, épinglées sur les planches de bois, des figures de la Sainte Vierge et de Jésus. Une photo d'enfant, assis sur les genoux d'une vieille femme, derrière eux un sapin court et rabougri fait office d'arbre de Noël. Tous deux en oblique avec le photographe, ils regardent ailleurs.

La vieille cabane se trouve à 254 milles au nord de Sept-Îles. L'endroit est désert, gardé par d'immenses épinettes. La neige recouvre le lac et le ciel obscur se laisse percer par d'innombrables tisons lactés. Tout résiste dans l'immédiateté. Tout s'oppose au sens commun. Tout repose, les âmes anciennes et les familles en vacances.

Ce qu'il sait, il l'a appris de son grand-père. Reconnaître le chemin que parcourt le lièvre, les arbustes où se terrent les perdrix. Le canon du fusil pointé à l'endroit même où la poitrine du caribou se placera deux secondes plus tard. Survivre des journées entières dans l'attente du troupeau, lorsque la glace se forme sur les lacs. Ce qu'il sait, il le pratique depuis qu'il a cessé de consommer. Il s'est assuré un avenir.

Ils sont des centaines à franchir la ligne. Des tentes dressées, des hommes, quelques femmes. La ligne qu'on leur a interdit de franchir, comme si la nature avec ses lois parfaites avait délimité les frontières de la survie. Les écologistes craignent l'extinction du caribou. De ces troupeaux nomades qui ne s'arrêtent que pour mieux repartir. Les Innus craignent pour les leurs. Malgré la facilité proposée, n'ont jamais cessé de parcourir les lacs gelés pour offrir à leur famille de la viande fraîche.

On laisse reposer l'animal une nuit durant, pour le laisser mourir, par respect. Le lendemain, les hommes dépècent les pattes, la tête, les côtes du caribou. On garde la fourrure, pour les artisans qui la tanneront. Ils fabriqueront des sacs, des mocassins, des tambours. Les femmes coupent en petites parts les gros morceaux que les hommes leur apportent. Elles gardent précieusement les os. Plus tard, elles les feront bouillir pour en retirer la moelle et le gras. Une fois refroidie, cette graisse étalée sur du pain frais sera le mets le plus convoité des festins. Les congélateurs de plusieurs foyers seront sitôt remplis par la viande de l'*atiku*

Il a appris de ses années de chasseur, l'instinct. Il dit, sans arrogance, comme une promesse : Nous l'avons d'imprimé là, dans le sang. Nous irons chercher le caribou là où il se trouve.

Il prend le train ce matin. Il porte sur son dos son sac en toile beige, rempli de quelques vêtements chauds et usés. Ses deux boîtes pleines de cannages, de sucre, de farine et de cigarettes sont déjà à bord du wagon de marchandise. Il fume, l'air nerveux, quelques minutes avant d'embarquer et de quitter pour trois mois sa réserve. Les gens autour se disent au revoir. Certains partent pour la chasse, d'autres pour des visites familiales à Schefferville. Lui, il quitte pour continuer à exister. Longtemps, il a remis ce voyage, celui qu'il jurait, en long et en large, qu'il ferait un jour à ses amis plus éméchés que lui. Pas plus tard que la semaine passée, seul dans sa nouvelle maison presque pas construite, il a cessé de croire. Les nuits qui ne se terminent pas, les illusions sur lesquelles on se bâtit. Les caisses et les caisses de vingt-quatre qu'on engloutit et cette poudre blanche qui colle aux parois d'un cœur faible, un battement qui se crève à vouloir rire une fois encore de l'existence, de l'inexactitude, de l'incohérence. Cette nuit-là, il a juré tout haut qu'il prendrait le train pour *Nutshimit*.

NIKUSS

Se promener en voiture et avoir envie de s'arrêter. Par respect pour les lieux sacrés, pour les âmes passées. Je marche quelques pas, franchis une clôture métallique, mise là exprès pour les autres qui ne respecteraient pas les lieux. L'herbe pousse, elle se fait tondre, et elle pousse sur les corps inertes de ces gens dont je connais parfois le nom, parfois le visage, parfois la lointaine parenté qui vient de la mémoire. Parfois, rien. Je m'attarde quelques secondes, sur ceux qui me semblent familiers. Le son des vagues, le silence d'une réserve, quelques secondes pour calculer le nombre d'années qu'il a vécu. L'âge qu'elle avait quand elle est partie. Je remarque un caribou gravé sur une pierre brune, presque bronze. Deux petites lignes courbes qui passent pour des montagnes. Le travail d'une main accoutumée à la beauté. Des roses en plastique dans un panier d'osier à côté d'un bouquet de fleurs jaunes presque pas fanées.

Tenter de comprendre l'existence d'une personne que l'on n'a jamais vue. Dans la pensée infructueuse, happer un mur si violemment que comprendre ne sert plus à rien. Se tenir à quelques mètres de la pierre gravée, pour ne pas écraser l'homme qui s'y couche. Se reconnaître dans le nom, ne pas comprendre sa provenance, son existence à lui. Regretter d'être passée en inconnue en terre morte. Partir.

Il y a une croyance très ancienne chez les Innus. Ils disent que si un père n'a jamais vu son enfant, c'est que cet enfant possède un don.

Une maison qui ressemble à toutes les autres. Le vert des murs, le brun des poutres. Des marches à peine défaites, juste quelques fissures de bois qui marquent le temps. Elle a le même âge que moi. Mes empreintes, celles que j'ai laissées lors de mes premiers pas, celles que je laisse encore quelques fois lors de mes visites. Elle a ma mesure, de petites rayures sur fond blanc qui font acte de foi de mon enfance jusqu'à mes sept ans. Une chambre parfaite pour trois petites filles et une autre juste à côté pour un frère aîné qui n'aime pas se chamailler.

Derrière elle, il y avait un bois, petit, à notre grandeur. Des framboises et des bleuets, mis là exprès pour les journées chaudes de juillet. Les épinettes étaient rabougries, mais elles soutenaient les planches de bois que mon frère avait clouées en guise de barricades. Aujourd'hui, c'est un dispensaire et un dépanneur. La clôture qui sépare la maison du stationnement n'arrête ni les soûlons ni les autres.

Ma mère tente de faire pousser du gazon sur du sable et je la félicite chaque fois que je vois les bouquets de trèfles qui brandissent leurs feuilles. Il faudrait aussi refaire les fenêtres, les planchers et la peinture des murs. La maison a vieilli, comme moi, je suppose. Mais les choses vieillissent plus vite par là-bas, d'où je viens. Parfois, sans que personne ne s'en rende compte.

Je tamise les lumières du salon. Bébé dort, ne se réveillera qu'à l'heure du boire, pour se rendormir blotti à mes côtés dans ce lit trop grand pour ma solitude. Je m'assieds sur la bergère que j'ai achetée au marché aux puces, trois fois moins cher que ce qu'elle vaut. Elle est rouge, comme le tableau d'automne que j'ai eu pour mes vingt ans, comme l'oreiller de plumes sur mon divan qui m'incite à la paresse, comme le dos du cheval en bois de mon garçonnet.

Ce soir, je ne sais pas, j'ai l'impression que le monde tombe derrière moi. Expression erronée. Je crois que rien ne me désoriente plus que ce liquide incolore et salé qui coule de mes yeux gonflés, sur mes joues. Je n'ai jamais autant désiré être quelqu'un d'autre, une lointaine émigrée venue d'ailleurs pour s'éparpiller. Mon corps ne m'appartient plus. Le cœur qui bat si vite me le rappelle sans arrêt. Je m'éloigne de ce que j'ai toujours été. De ce que j'ai toujours cru représenter. Je veille à ne pas faire de bruit et mes sanglots s'éteignent au même rythme que mes pas sur le plancher flottant. L'eau n'abreuve pas le tiers de ma soif et je me sens ralentir comme ralentissent les autos aux feux tricolores. Je ne sifflote pas, je ne l'ai jamais fait d'ailleurs.

La neige givre les fenêtres de mon appartement. Tout à l'heure, la buée se formera, à cause de la soupe qui bout et qui réchauffe les odeurs de vide. Entre ce qui demeure à l'extérieur et ce qui entre dans ce logis, entre ceux qui passent dans la rue et ceux qui s'assoient à ma table, la porte se tient droite sans crainte d'être violentée. La porte demeure la seule issue de passage et je demeure maîtresse de ma maison. Ce n'est pas grand-chose, mais cela donne une impression de surpuissance. D'invulnérabilité. Je suis consciente que les gens qui sortent ne reviendront peut-être pas, et pourtant je les laisse partir, et pourtant je souris en disant au revoir. La solitude, lorsqu'elle me pèse sur le cœur, devient ma vanité partiellement recouverte de peine, un peu comme les rues de mon quartier après les averses de neige. Et pourtant, lorsqu'ils enfilent leur manteau, je les laisse partir.

Je n'ai pas le droit.

L'immobilisme mène à l'état de betterave, et les légumes, c'est connu, ne servent qu'à nourrir les pauvres gens. Pas le droit de laisser tomber ce soir, malgré la fatigue et les pleurs qui me gardent en éveil, en somnolence, en épuisement postnatal.

Je n'ai pas le choix, car je n'ai pas le droit. Les hommes, ils étudient et réfléchissent aux choses surhumaines de l'existence. Ils se cadrent et s'examinent, ils oublient l'essence.

Ce n'est pas de la platitude, c'est de l'exactitude, je n'ai pas le droit de laisser passer mon esprit au travers de ces méandres moites et insensibles. Au travers de tout ce qui ne pourrait tenir sur un morceau de pain cuit.

Bien sûr que je n'ai pas le droit d'oublier mon instinct de nomade, sans cesse à la recherche d'un état de grâce.

Mais partir m'est impossible : il me faut du temps et je n'ai pas le temps, comme le droit, comme la beauté dans une peinture ancienne, comme les traces du temps qui sont restées dans le cadre d'une grotte, je n'ai pas le droit. Les rêves de petites filles s'estompent à l'heure du boire.

Les artistes possèdent tous des pinceaux, que des pinceaux. Je n'ai pas le droit de peindre autre chose qu'une gouache rouge et jaune sur une immense feuille de papier blanc qui servira de tableau décoratif dans la chambre vert pomme.

J'ai ouvert un livre beige à la reliure dorée. S'est installé sur le papier glacé le regard neuf d'un visage aux yeux foncés. Il a négligé de sourire. De fendre ses joues rouges de chaleur. D'accentuer les plis qu'il a au coin des yeux. Sa bouche, un doute, insoucieuse de ce que l'image fera transparaître. La peau encore vivante, il gardera son allure et sa beauté toute ma vie.

La reconnaissance d'une adolescente, lorsqu'un homme qu'elle ne connaît pas lui dit : Tu as ses yeux. Les mêmes grands yeux noirs que ton père.

Il est pareil à son grand-père, la peau brune d'un Indien. Elle répète sans arrêt : *Uinipapeushu Nikuss.* Les bébés aujourd'hui, ils sont pâles. C'est un vrai Innu, c'est certain.

Tu dessineras un arbre du bout des doigts sur le sable fin de la baie. Pour toute distraction, il y aura le roulement des vagues. L'infini devant toi, l'eau qui suit le courant jusqu'au bleu du ciel. Le calme plat d'une journée chaude de juillet. Tu verras les endroits où je me baignais lorsque j'étais petite. Je te dirai que même la terre se déforme selon les caprices des humains. L'eau salie par le mépris de ce qui ne rend pas riche. Ton enfance réconfortera mes sept ans. Le regard neuf que l'on porte sur les choses qui éblouissent. Ton rire sera l'écho de mes espoirs. Le soleil se couchera sous nos regards distraits. Pas de brume, pas de pluie, pas de passé trop lourd qui fait suffoquer ce qui vit. Le silence entourant nos rêves d'avenir. Près de la rive et des marées, il y aura nous, *Nikuss*.

TABLE DES MATIÈRES

Ben Aïcha, Kebir Ammi

La balançoire de jasmin, Ahmad Danny Ramadan
(traduit par Caroline Lavoie)

Jonny Appleseed, Joshua Whitehead (traduit par Arianne
Des Rochers)

Mère à Mère, Sindiwe Magona (traduit par Sarah Davies
Cordova)

Débutants, Catherine Blondeau

Tireur embusqué, Jean-Pierre Gorkynian

On se perd toujours par accident, Leanne Betasamosake
Simpson (traduit par Arianne Des Rochers et
Natasha Kanapé Fontaine)

Boat-people, Sharon Bala (traduit par Véronique Lessard
et Marc Charron)

Ayiti, Roxane Gay (traduit par Stanley Péan)

Mémoire d'encrier remercie Max Films Média
et Filmoption International Inc.
pour l'autorisation de reproduire en couverture
l'affiche de l'adaptation cinématographique de *Kuessipan*
(© 2019 – Filmoption International Inc. Illustration : Meky Ottawa,
photos : Maude Chauvin, graphisme : Julie Gauthier).

Mémoire d'encrier reconnaît l'aide financière
du Gouvernement du Canada,
du Conseil des Arts du Canada
et du Gouvernement du Québec
par le Programme de crédit d'impôt pour l'édition
de livres, Gestion Sodec.

ISBN : 978-2-89712-501-1 (Legba édition de poche 2017)
ISBN : 978-2-923713-54-0 (édition grand format 2011)
PS8611.O571K83 2017   C843'.6   C2017-941698-7
PS9611.O571K83 2017

Mise en page : Pauline Gilbert
Maquette de couverture : Étienne Bienvenu

MÉMOIRE D'ENCRIER

1260, rue Bélanger, bur. 201 • Montréal • Québec • H2S 1H9
Tél. : 514 989 1491
info@memoiredencrier.com • www.memoiredencrier.com

L'OUVRAGE *KUESSIPAN* DE NAOMI FONTAINE
EST LE PREMIER TITRE DE LA COLLECTION LEGBA.
IL EST COMPOSÉ EN
ADOBE GARAMOND PRO CORPS 11,5/13.
IMPRIMÉ SUR DU PAPIER ENVIRO 100,
CONTENANT 100%
DE FIBRES RECYCLÉES POSTCONSOMMATION
EN JUIN 2020
AU QUÉBEC (CANADA)
PAR IMPRIMERIE GAUVIN
POUR LE COMPTE DES ÉDITIONS MÉMOIRE D'ENCRIER INC.